Nadett

LE PAPILLON
LA LIBERTÉ RETROUVÉE

Une nuit sombre, un vent qui souffle très fort, une ombre mystérieuse se glisse parmi les arbres d'un parc. On entend le bruit d'une vitre qui se casse. Des pas pénètrent dans le salon puis disparaissent…
Le lendemain, le propriétaire s'aperçoit du vol et, fou de colère, il organise la capture du voleur. Mais qui a pu défier l'autorité de cet homme puissant et très méchant ?

TEXTE, EXERCICES ET NOTES NADETTE HUTIN
RÉVISION LAURENCE OLLIER
DESSINS JULIENNE DONAT
EDITING PAUL GAUMONT

PREMIÈRES LECTURES
DANS UN PETIT LIVRE,
DES HISTOIRES FACILES À LIRE
ET TRÈS AMUSANTES !

La Spiga languages

LE PAPILLON

C'est le début du printemps[1] et il y a beaucoup de vent en ce mois d'avril. Les bateaux[2] dansent un peu dans le port,

1. *printemps*

les voiles[3] oscillent légèrement et les oiseaux volent au-dessus

3. *voiles*

2. *bateaux*

des bateaux. Esblacou est une petite ville tranquille sur la mer.

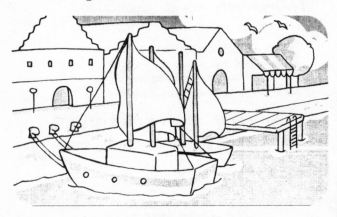

✎ **Qui fait quoi ?**

L'informaticien

Le professeur

L'avocat

Le chimiste

- .... recherche de nouvelles formules.
- .... travaille sur l'ordinateur.
- .... enseigne des matières aux élèves.
- .... défend des personnes au tribunal.

La nuit arrive rapidement
et toute la ville s'endort.
Sur une colline[1],
une grande maison
appartient à un homme
très riche mais aussi très
méchant[2]. Lui aussi dort.
Mais un homme casse[3]
la vitre d'une fenêtre
et entre dans la maison.
Il vole un coffret plein
de pièces d'or
et se sauve sans faire
de bruit.

1. colline

2. méchant

3. casser

✎ **Place les mots suivants dans la bonne colonne. Ensuite classe-les dans la grille des articles.**

journal • livre • enfants • télévision • catalogue • lampe • journalistes • radio • devoirs

LE	LA	LES

UN	UNE	DES

Le lendemain matin, le propriétaire découvre le vol. Il est très en colère[1], il hurle : « Qui a volé mon or ? ».

Il appelle la police et il lui demande de chercher tout de suite le voleur.
Il appelle les domestiques[2] et

1. *en colère*

les menace avec son pistolet[3] :
« Parlez ! Avez-vous pris mon or ? ».

2. *domestiques*

3. *pistolet*

✎ **Relie par une flèche les questions et les réponses.**

Qu'est-ce que
tu bois ?

Un coca-cola,
c'est combien ?

Où allez-vous ?

Qu'est-ce que
tu fais ?

Qu'est-ce que
vous désirez ?

Comment vas-tu ?

Nous prenons une
bière et un thé.

Bien, merci.

Un café.

C'est 2,18 euros.

A la poste.

Je lis un livre.

La police fait des recherches, interroge[1] des personnes.
Personne ne sait rien.
Personne n'a rien vu.

1. *interroger*

2. *se promener*

C'est un vrai mystère. Un homme parle à la police et dit qu'il a vu un jeune homme se promener[2] la nuit du vol.
Il fait une description.

Les policiers vont chez le jeune homme, il s'appelle Julien et dans sa maison on retrouve quelques pièces d'or.

ACTIVITÉ

✎ **Vrai ou Faux ?**

	V	**F**
• Dans les îles du Sud, il fait très froid.	❏	❏
• Il existe six continents.	❏	❏
• On cultive aussi les caféiers en Italie.	❏	❏
• La France et l'Italie se trouvent en Europe.	❏	❏
• Le Pô est un fleuve italien.	❏	❏
• Les Alpes sont des montagnes qui séparent la France de l'Italie.	❏	❏

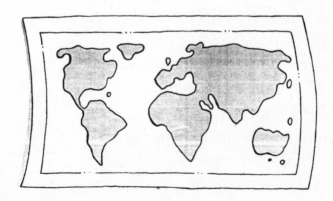

1. *caisses*

Julien réussit
à s'échapper. Il a très
peur. Au port,
il voit un bateau
qui transporte

des marchandises et il n'y a personne
sur le pont.

Il décide de monter à bord et il se cache
derrière des caisses[1].

Il est temps car peu de
temps après le bateau
s'éloigne[2] du port
et va vers le large.

2. *s'éloigner*

✎ **Julien lance une bouteille à la mer.**
Complète le message.

aide • chercher • perdu • île • secours

Je me suis ....
Je suis sur une ....
déserte.
J'ai besoin d'................. .
Au .... !
Venez me ....
très rapidement.

Merci.

Julien

1. *soif*

2. *végétation*

Le voyage est très long. Julien a soif[1],
a faim. Les jours passent très
monotones et surtout il a peur d'être
découvert. Finalement, un après-midi,
le bateau arrive dans un port. Il attend
la nuit pour sortir et… quelle surprise !
la végétation[2] est très différente.
« Mais où je me trouve ? » dit-il.

✎ **Vrai ou Faux ? Regarde le dessin et coche la bonne case.**

	V	F
• Rémy prend un café.	☐	☐
• Il est jeune.	☐	☐
• Catherine boit une bière.	☐	☐
• Rémy a un verre d'eau.	☐	☐

Après un bref repos,
il commence à explorer
les lieux et il comprend
qu'il se trouve sur une
des îles du Sud. Il est
désespéré. « Que vais-je
faire maintenant ? »
dit-il très triste.
Il décide de chercher
un abri[1] pour la nuit et
quelque chose à manger.
Il trouve beaucoup
d'arbres fruitiers :
des bananiers[2],
des cocotiers[3] et
d'autres encore.

1. abri

2. bananier

3. cocotier

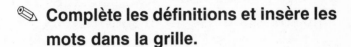

✎ **Complète les définitions et insère les mots dans la grille.**

- Claude va souvent dans un… **(1)** italien.
- Je prends une… **(2)** dans la salle de bains.
- 30 euros c'est le… **(3)** d'un bon repas.
- Nous avons pris une chambre à l'…**(4)**.
- Les enfants regardent un film à la… **(5)**.

Le matin suivant
il ouvre les yeux
et des papillons[1]
de toutes les couleurs

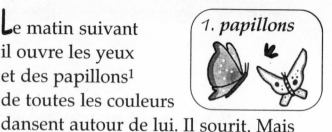

1. *papillons*

dansent autour de lui. Il sourit. Mais

2. *prison*

sa vie est très difficile.
Il doit toujours
se cacher et faire
attention aux gardes
armées. Il se trouve

sur une île où il y a
une prison[2].
Malheureusement,
un jour, les gardes
le découvrent et
l'emmènent[3].

3. *emmener*

✎ **Mets les phrases à la forme négative.**

Julien est content d'être sur une île.

....

Il trouve le paysage charmant et la végétation très belle.

....

....

Il se baigne souvent dans la mer car il nage très bien.

....

....

Il veut rester très longtemps sur cette île.

....

Il a beaucoup d'amis qui jouent souvent avec lui.

....

....

1. chaînes

Il est emmené par la force dans la prison. On l'interroge sur sa présence sur l'île. Il ne répond pas.

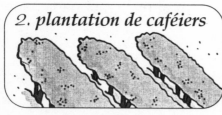

2. plantation de caféiers

On le frappe. Il ne parle toujours pas. Alors les gardes lui mettent des chaînes[1] aux pieds et aux mains et on l'envoie dans une plantation de caféiers[2].

Le travail est très dur, il fait chaud. Heureusement les papillons le suivent partout ; alors il se sent moins seul.

✎ **Complète les phrases avec les verbes au présent.**

- À quelle heure tu *(se coucher)* .... le soir ?

- Qu'est-ce que tu *(prendre)* .... au petit-déjeuner ?

- Je *(prendre)* .... du lait et des biscuits.

- Qu'est-ce que tu *(préférer)* .... faire le soir ?

- Tu *(regarder)* .... la télé ou tu *(jouer)* .... aux jeux vidéo ?

- Les enfants *(s'installer)* .... devant la télévision et *(regarder)* .... souvent des dessins animés.

1. *bagarre*

La vie avec les autres prisonniers est très difficile. Il y a beaucoup de bagarres[1]. La nourriture[2] n'est pas bonne. Dans les cabanes[3] où les hommes vivent, il y a des insectes[4] très bizarres et beaucoup sont malades.

2. *nourriture*

3. *cabanes*

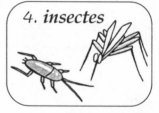

4. *insectes*

✎ **Trouve le mot selon la définition.**
   La première lettre seule change.

Quand on a soif,
il faut : ....

Grande manifestation
commerciale publique,
c'est la : ....

Le plus grand fleuve
de France, c'est la :
....

Le contraire de blanche,
c'est : ....

Fruit du poirier,
c'est la : ....

Julien ne supporte plus cette vie. Il est très maigre[1], ses cheveux sont longs et sales. Il est très fatigué et il commence à tousser[2].

1. *maigre*

Par chance, ses amis les papillons volent toujours près de lui. C'est son unique compagnie. Alors tous les prisonniers l'appellent "Papillon". Il pense qu'il doit se sauver de cette île sinon il va mourir.

2. *tousser*

✎ **Trouve l'adjectif de nationalité.**

Elle habite au **Brésil** ▶
Elle est brésilienne

Nous habitons au **Canada** ▶
Nous sommes ....

Julie vit en **Angleterre** ▶
Elle est ....

Juan habite en **Espagne** ▶
Il est ....

Elle travaille en **Allemagne** ▶
Elle est ....

Tu vis au **Maroc** ▶
Tu es ....

Il habite aux **États-Unis** ▶
Il est ....

Une nuit sur sa paillasse[1], il rêve[2] de sa maison dans sa petite ville. Il pleure[3] tout seul et décide de s'échapper de cette île terrible. Il fait des plans d'un petit bateau dans sa tête. Il pense qu'il doit quitter cette

1. *paillasse*

2. *rêver*

3. *pleurer*

prison le plus vite possible mais ce n'est pas facile car il y a beaucoup de gardes.

✎ **Relie le nombre écrit en lettres au numéro correspondant.**

Vingt et un	72
Douze	17
Seize	21
Soixante-douze	54
Huit	12
Cinquante-quatre	8
Quatre-vingt-dix	16
Trente-quatre	90
Treize	55
Cinquante-cinq	13
Dix-sept	34

1. pleuvoir

Après plusieurs tentatives, Julien réussit finalement à s'échapper de la plantation. Il pleut[1] très fort et les gardes renoncent à le poursuivre[2]. Il court très vite et très loin. Au bord de la mer, il voit une barque abandonnée. « Quelle chance ! » dit-il. Il met la barque à l'eau,

2. poursuivre

3. sauter

prend des bananes et saute[3] à l'intérieur. Il se sent très fort. Les papillons le suivent encore.

✎ **Réponds aux questions.**

Pourquoi Julien s'enfuit de sa ville ?

....

....

A-t-il beaucoup d'amis sur cette île ?

....

Est-ce que les serpents sont ses amis ?

....

Julien a-t-il beaucoup grossi depuis qu'il se
trouve sur l'île ?

....

Est-ce qu'il a envie de rester longtemps sur
cette île ?

....

....

Son voyage est très long. Il doit affronter une tempête[1] et la nourriture est terminée. Il a soif et il est à bout de forces. À un certain moment, il est réveillé par un coup.
Sa barque a heurté un rocher[2]. Il est enfin arrivé dans sa ville.
Il est heureux, mais comment va-t-il faire pour démontrer son innocence ?

1. tempête

2. rocher

✎ **Retrouve les différences entre les deux dessins.**

Le matin suivant, il y a beaucoup
de bruit sur le port. Beaucoup de
personnes regardent partir de nouveau
un bateau pour les îles du Sud.
Une personne dit : « Le pauvre Julien !
Où est-il ? ». Alors Julien s'approche
et demande : « Que se passe-t-il ? »
L'homme est surpris[1] : « Oh ! Julien,
quel miracle, tu es revenu ! La police
a retrouvé le vrai coupable et il est sur
le bateau ! ». Julien est fou de joie[2] !
Il est libre !

1. surpris

2. fou de joie

✎ **Trouve dans la grille les mots tirés du texte.**

A	C	C	Z	P	P	X	L
D	B	O	A	O	E	T	S
L	A	U	J	R	R	R	U
I	T	P	O	T	S	O	R
B	E	A	U	C	O	U	P
R	A	B	T	D	N	E	R
E	U	L	E	E	N	X	I
C	L	E	N	D	E	F	S

© 2005 *La Spiga languages* • IMPRIMÉ EN ITALIE PAR **Techno Media Reference** • MILAN
DISTRIBUÉ PAR **Medialibri** • VIA IDRO 38, 20132 MILAN • ITALIE • TÉL. 02 27207255 • FAX 02 2567179